KB096572

끝나지 않는 청춘의 시작과 끝을
(1)

목차

이 책을 펴내는데 도움을 주신 분들

김주희 김상진 김수지 송현하 김범찬 조혜진 장 민
최 윤 오제원 이민서 유온유 이정아 홍윤기 이석민
김호형 강홍현 김효미 이지훈 박성범 김도현 김하윤
박시형 김형관 김영남 박기표 김영주 오제원 정휘서

양해성 김유곤 구교선 김민찬 조창훈 김수연 박선찬
김현서 홍단영 백주영 서은서 이가연 이가영 이지원
이현지 정희령 최지영 최태은 황은수 김효규 김승현
최재형 이은정 강민우 배수현 신은수 김창우 정승빈

홍지원 김채영 김민서 권소은 공지현 이성철 김창우
한가희 이현주 양현주 김예진 김예준 이민형 김형진
정재우 김한별 김나민 박예슬 안지민 신지원 한혜연
정노을 형성주 김유성 박민규 김채림 정은아 남시우

김경진 김예영 장건우 배민재 김윤종 류재형 김용혜
한다연 윤용민 김현우 하동현 김예림 정준혁 오혜인
박형진 강시오 여찬웅 박동기 이 완 홍수연 김진호
김소현 김수현 이다원 김세연 지현호 이지우 이진주

작가의 말

"끝나지 않는 청춘의 시작과 끝을"은 제 첫 작품인 "전하지 못한 진심을, 네게" 시리즈의 리메이크판 시리즈입니다.

이번 리메이크 시리즈 "끝나지 않는 청춘과 시작의 끝을"에서는 "전하지 못한 진심을, 네게" 시리즈에 수록된 전 글을, 보다 더 진솔한, 보다 더 간절한, 보다 더 정제된, 보다 더 제가 추구하고자 하는 방향으로서, 재구성한 글들을 수록했습니다.

"전하지 못한 진심을, 네게" 시리즈를 이전에 읽어보신 분들의 경우에는, "전하지 못한 진심을, 네게"와 "끝나지 않는 청춘의 시작과 끝을"을 비교하면서 읽으시면, 더욱 글에 대해 이해하기 쉬우실 것입니다. 또한 더불어 글의 핵심 주제는 같지만 완전히 다른 글이라 느껴지실 정도의 새로운 글을 읽는 경험을 하실 수 있어, 지루하지 않게 다양한 글들을 감상하실 수 있습니다.

원작 "전하지 못한 진심을, 네게"에서는 저의 10대

시절의 솔직하고 담백한 문체와 아직은 미성숙한 저의 모습들이 묻어난 글들이 수록되었다면, 이번 "끝나지 않는 청춘의 시작과 끝을"에서는, 십 대의 미성숙하고 불완전했던 시절을 지나, 정말 다산다난 했던 이십 대의 첫 걸음을 마무리 짓고, 어느덧 어엿한 이십 대 초반의 제가 되어, 삶을 살아감에 있어, 제가 보고 느끼고 몸소 배운 점들을 바탕으로 지난 "전하지 못한 진심을. 네게"에 수록됐던 글들을 완전 새롭게 재작업해, 수록했습니다.

제 곁에서, 저를 믿고 의지해 주며, 항상 저를 사랑해 주는 영원토록 변치 않을 내 사랑 우리 수지, 그리고 "스무 살에 그 허황돼 보이던 말을"을 전시회 전체 디자인부터 이번 책 표지 제작을 맡아준 범찬이와, 이번 전체 글 감수를 맡아준 현하, 그리고 항상 제 작품 세계에 많은 도움을 주는 우리 민이까지, 정말 많은 분들의 노력과, 정말 제 십 대 시절의 그 간절했던 마음들이 고스란히 담겨있는 글들이, 새롭게 리메이크 되어 수록된 책이니 만큼, 많은 독자분들의 많은 사랑과 많은 관심 부탁드리겠습니다.

끝으로 "전하지 못한 진심을, 네게" 시리즈, 작년 8월에 출간된 "스무 살에 그 허황돼 보이던 말을" 그리고 이번 2024년에도 새롭게 출간되는 "끝나지 않는 청춘의 시작과 끝을" 시리즈 모두 사랑해 주시길 바라며, 글을 마치겠습니다.

—

항상 과분한 사랑, 감사합니다.

2024.02.21. 작가 김지훈 올림.

내게 글이란

비대한 내 감정을 전부 담기엔
나의 그릇은 한없이 작아
미숙한 감정이 전부 넘쳐흐르기에

이윽고, 난 나의 상처를 도려낸 후

그 마음 한구석 깊이
굳어버린 혈전을 쥐어짜내

지난 슬픔과 증오를 모두 한 데 섞어
나의 혈을 매개로 하나, 둘 글을 새겨간다.

그렇게 붉게 혈로
새겨진 글자들이 모여
또 다른 나의 분신을 이루고

이윽고 그들이
다른 이의 심장을 뛰게 할 순간.

비로소, 그 순간의 고통이
막혀있던 혈전을 모두 뚫은 채

다시금 나의 심장을 뛰게 할 터이니.

『전하지 못한 진심을, 네게 (상)』 작가의 말 발췌

너란 꽃, 나란 꽃

우연히 내게 다가와
조심스레 고개를 내밀던 너

작고 어여쁜 너를
어찌해야 할지 몰라

당황하기만 했던 나

한순간, 바람결에 스쳐가는
꽃내음일 줄 알았던 너

어느새 꽃향기로 물들어 버린 나

이게 너란 꽃, 너란 의미
이게 나란 꽃, 나란 의미

그런 너, 그런 나

힘든 일이 있더라도
내겐 아무 일 없던 듯
차마 내겐 티를 내지 않는 너

그런 널, 바라볼 수밖에 없는 나

내겐 전부 괜찮다면서

홀로 돌아서면
어린아이처럼 울상이 되는
한없이 어리고 여린 너

그런 널, 안아주고 싶은 나

그런 내게, 항상 고맙다며
사랑한다 말해주는 너

그런 널, 사랑하는 나
그런 날, 사랑하는 너

그런 네게 꼭 전하고 싶은 말이 있어.

네게 있어, 나의 존재가

네가 바라는 건,
무엇이든 이뤄줄 수 있는
동화 속 백마 탄 왕자님은 아닐지라도

저 하늘의 별도 달도 따줄 수 있는
대단한 사람은 아닐지라도

가끔은 서툴고 실수하기도 하는
바보 같은 나일지라도

그런 완벽하지는 않은
평범한 나일지라도

나의 존재가 네게
도움이 될 수 있다면

난 항상 너의 곁을 지킬게.

–

널 사랑한다는 그 이유 단 하나만으로.

우린, 우린, 우린
변하지 않을 테니까

한 편의 그림 같은
아름다운 너의 모습과

얼룩으로 뒤덮여
결점으로 가득히 채워진
나의 모습의 모순에

주위의 불협화음이
우리를 둘러쌓아

선홍빛 미래의
꿈이 깨질지라도

우린, 또다시 서로의 음을 맞춰선 채
서로의 두 손, 꼭 부여잡은 그대로

그 흘러가는 세월에도 우린
언젠간 다가올 미래에도 우린

–

우린, 변하지 않을 테니까.

첫눈이 내리던 날
네 모습은, 참 예뻤다

첫눈이 내리던
온 세상이 새하얗게
색을 탈바꿈하던 그날.

추위도 모두 잊은 채
뭐가 그렇게도 좋은지

한가득 두 양볼에
붉은빛 홍조 띠며
해맑게 아이처럼 웃는

그날의 넌, 참 예뻤다.

1+1=1

1과 1이 만나
2가 아닌,
하나가 되었을 순간.

어린 날의 미숙하기 짝이 없던
설렘이란 이름의 감정은

한순간 사랑이란
이름의 감정이 되어
나의 전부가 되어가고

줄곧 혼자만이, 홀로
그려왔던 나의 이상은

한순간 당신과 함께
꿈꿀 하나의 이상이 되어가고

지금의 난,
어느 하나 포기 못할

당신과 함께했던
함께한 그리고 함께할

모든 날, 모든 순간을
영원토록 사랑하게 되었으니.

너의 의미는

너의 의미는,

내 삶.
결코 지워지지 않을

피보다 진한
연서로 새겨진

내 전부이다.

넌, 내 모든 것을
한순간 전부 집어삼킨 채

나를 너로서 삼키게 만들었다.

내 마음에도
다시 봄이
찾아오나 봅니다

사랑이란 이름의
지난날의 봄 내음은

이제는 내 곁을 떠난 지 오래라
생각이 들었을지는 모르겠지만

그 우연인지, 필연인지는 모를

이제는 추억으로 짙어진
지난날의 내음의 그윽함은
사라졌다 생각이 들 때쯤

한순간 봄바람처럼
나의 마음을 스쳐 지나

다시금, 나의 온 마음을
봄 내음으로 가득 채우며

지난날의 한기에
얼어붙었던 내 마음을
서서히 녹아내리게 합니다.

–

그렇게 내 마음에도
다시 봄이 찾아오나 봅니다.

당신과
함께 하고픈
그런 밤입니다

하늘에 은하수가 그윽한 이 밤.

이 무수한 별빛 아래
당신과 나, 두 손 꼬옥 잡고선
서로 얼굴 맞댄 채

밤하늘의 별을 다 헤어가며
둘만의 비밀 이야기를
속삭이는 그 순간.

당신과 나의 두 눈이 마주쳐
괜히 어색해 얼굴 붉히며
서로 입 맞추는 그런

당신과 함께 하고픈 그런 밤입니다.

그댈 위한 밤하늘은
될 수 있을 터이니

그대에게 난
밤하늘이 되겠습니다.

날이 밝든, 흐리던
변치 않는 저 밤하늘처럼
줄곧 변치 않는 마음으로서

저 무수한 별빛과 달빛 사이
온 세상을 수놓는 저 밤하늘이 되어
언제든 당신 곁을 지키겠습니다.

그대에게 난, 그대의 삶의
불빛이 점점 어둠에 짙어져
희망의 빛이 보이지 않을 순간

밤하늘의 저 환한 별과
달은 아닐지 언정

그대를 위한 희망의 등대의 별을
나의 밤하늘에 실어 보내겠습니다.

그대에게 난
한순간, 스쳐가는
풍경이어도 좋으니

난 이 어두운 밤
그대 곁에 서, 그대를 지키는
저 밤하늘이 되겠습니다.

난 당신을 보듯, 나를 봅니다

당신이 좋아하는 것을 보고
환한 미소를 지어 보이듯

나 역시, 가장 좋아하는 당신을 보고
가장 환한 미소를 짓습니다.

당신이 내 품에 기댈 때
이 순간, 세상 어느 것도
다 필요 없다 말하듯

나 역시, 당신이 내게 기댈 때
당신 이외에는 세상
어느 것도 중요치 않습니다.

당신 하나면
이미 온 세상을
다 가진 것 같은데 말이죠.

그렇게 당신이 나를 사랑하듯
나 역시, 당신의 모든 것을 사랑합니다.

그렇게 난, 당신을 보듯 나를 봅니다.

–

당신이 곧 나이자, 내 전부이니까요.

한순간이 아닌
영원토록 내 안에
당신이 살아간다는 건

너란 이를
한순간, 눈 감으면
사라져버릴 순간이 아닌

너란 이가 영원토록
내 마음 한 켠에 살아갈 수 있도록

너와 함께 숨쉬는 이 순간
그 순간의 숨소리
그리고 숨결까지

이 전부.

내 마음 한 켠에
새긴다는 것은.

–

이 얼마나, 축복받은 일인지.

너랑 나
단둘이서만
잠시 시간을 멈춰서

너랑 나, 오직 단둘이서만
우리 둘만의 결코 끝나지 않을

한 편의 멜로드라마 같은
한 편의 영화보다 더 영화 같은

우리 둘만의
결코 끝나지 않을
지금 이 순간

잠시 시간을 멈춰 서자.

–

지금 이 순간

우리 둘만의 결코 끝나지 않을
이 순간을, 잠시 멈춰

너랑 나.

오늘의 이 순간을
영원토록 기약하자.

너와 함께
걸어갈 이 길은

분명 어제보다
빛나는 눈부신 오늘의
당신이 지금 여기에 있으니

당신과 함께 걸어갈 내일은
이 얼마나 눈부실까나.

그렇게

오늘도, 내일도
조금은 부끄러울지 모르는
그런 감정으로서

당신과 나.

두 뺨에 한가득
수홍빛 홍조 가득한 채
서로의 입술을 마주해

이읔고 당신과 나.

함께 걸어갈
우리의 인생이란 길을

서로의 꽃으로 수놓습니다.

그대는
내 행복이고
내 전부입니다

그대는 나의 행복이자, 모든 것입니다.

멀리서 나를 보곤
해맑게 웃으며 달려오는 그대 모습도

내 품에 지긋이 안겨
아이처럼 펑펑 우는 그대 모습도

입을 삐죽 내민 모양새로
뾰로통하니, 두 볼은
마치 복어처럼 빵빵한 그 모습, 전부

그대는 나의 행복이자, 모든 것입니다.

그대의 미소
ㄱ대의 손짓
그대의 목소리

하나하나 전부 어찌나
사랑스럽고 예쁘던지요.

–

지금 내게, 그댄.
나의 행복이자, 전부입니다.

그대여, 이 한 몸
영원토록 그대를
사랑할 테니

그대여

내가 웃음 지을 때나
내가 울음 지을 때나

항상 나를 가득 채워주는 건
오직 그대 하나뿐이니

그대, 영원토록 내 눈을 바라봐 주세요.

온 세월이 다 지나가도
검은 머리가 파뿌리가 되어도

나를 나로서
내가 나라는 이유 하나만으로
나를 진정 사랑해 줄 이는

오직 그대 하나뿐이니
그대, 영원토록 내 곁을 지켜주세요.

내게, 변치 않은 마음으로서
영원토록 행복을 선사해 줄 이는

오직 그대 하나뿐이니
그대, 영원토록 나를 사랑해 주세요.

–

나 역시, 그대를 영원토록 사랑할 테니까요.

그대의 모든 날
난 그대를 영원토록
비추겠습니다

늦은 밤, 일을 마치고
홀로 집으로 돌아가는 길

항상 같은 자리에서
환한 불빛으로 골목길을 지키는
저기 저 가로등처럼

나 역시, 그대를 지키는
그대만의 가로등이 되겠습니다.

그대, 외로운 날엔
그대의 마음 환하게
비추는 그런 사람이 되겠습니다.

그대, 울적한 날엔
조용히 그댈 비추는
그런 사람이 되겠습니다.

그렇게 누군가를 위해
환한 불빛을 내야
비로소 의미가 있는 가로등처럼

그대의 모든 날.
난 그대를 영원토록 비추겠습니다.

–

그대란 이유 단 하나만으로.

완벽한 오늘 밤

오늘 밤

밤공기가 좋네요
밤하늘이 예쁘네요
그대도 아름답네요

이 완벽한 오늘 밤

그대, 나와 눈을 맞춰요
우리, 손을 잡아요
서로, 입을 맞춰요

이 밤, 우리 사랑을 나눠요.

모든 것이
이상하리 만큼
완벽한 이 여름날은
사랑인가 봅니다

하늘에서 우릴 향해
내리쬐는 저 햇빛

저 멀리서
선선히 불어오는
그대와 날 향한 바람

폭염주의보가 내린
열기와 습기로 가득 찬
이 무더운 여름 날

무더운 햇빛 아래
땀으로 가득 찬
서로 붙잡은 두 손

땀이 주룩주룩 내려
어느새 온몸이
땀 범벅이 된 그대와 나

선선한 바람 아래
서로의 눈망울 지긋이 쳐다보며

찰나의 시원한 바람이
무엇이도 그리 좋은지
서로를 향해 미소 짓는 우리

이 무더운 여름 날
모든 것이 이상하리 만큼
완벽하다 느껴지는 이 마음은

아, 사랑인가 봅니다.

당신에게 난
손을 건네렵니다

남들에겐 당연하다
생각될지 모르는 오늘을
남들은 평범히 살아가는 이 하루를

오늘도 내일도 그리고
줄곧 살아가야 한다는 사실이
다소 버겁다 생각이 드는 당신에게

나는 손을 건네렵니다.

–

"저기 살다 보면
스스로가 생각했던 만큼
완벽한 결말은 아닐지라도

그래도 납득할 만한
그런 이야기들 있잖아요.

너무 이상적이지도 않고
너무 가볍지도 않은 그런 거요.

저는 그거면 충분하다고 생각해요.

마치 살면서 모든 것이
뜻대로 되지 않는 것처럼요.

그러니 지금

너무 잘하려고 하지도
너무 완벽하려 하지도
너무 두려워하지도 않았으면 좋겠습니다.

지치면 잠시 쉬어가기도 하고
울고 싶을 때는 울기도 하며

그냥 우린 지금 이대로
지금처럼만 일지라도
전부 다 괜찮을 테니까

우리 함께 천천히 나아가 봅시다"

별 무리

한 줄기 별처럼
내게 밝게 빛나던 그대여

이 한 몸, 살아감에 있어
그대를 잊지 못함이 분명하거늘.

이번 생, 다시는 마주하지 못할
저 한 줄기 유성처럼 스쳐가는 그대여

이 한 몸.

그댈 향한 마음
영원토록 변치 않은 채

한 줄기 별 되어
줄곧, 그대를 사랑할 터이니

그대도, 줄곧 그리 빛나다오.

저기 혹시
괜찮으시면
우산 같이 쓰실래요

"오늘도 우산이 하나네, 당신 기억나?"

하염없이 비가 내리던 그날
우산 없이 곤란해하는 당신을 보곤

손에 든, 하나 남은 우산을
어찌해야 하나 고민하던 찰나

비를 맞고 뛰어가는 당신의 모습을 보고
나도 모르게 당신의 손을 붙잡은 채

"저기 혹시 괜찮으시면, 우산 같이 쓰실래요"
어리숙한 표정으로 묻던 내게

"네 좋아요"라 답하며
싱그러이 웃넌 당신의 모습이
얼마나 아름다웠던지

아직도 그때 그 시절.
당신의 미소가
지금도 선명히 그려지네.

참 예뻤던 당신이었는데 말이지.

“당연히 기억나지”
“그런데 그때는 왜?”

(남자는 여성의 손을 잡는다)

“갑자기 뭐야”

(여자는 웃으며 남자를 쳐다본다)

“저기 혹시 괜찮으시면, 우산 같이 쓰실래요”

나의 사랑 그대여

아, 나의 사랑 그대여

둘만의 선홍빛의 사랑이
점점 탁해져만 갈 이 순간에도

당신을 향한 나의 마음은
점점 사무쳐 오릅니다.

그대에게 다가가면 다가갈수록
그대는 내게서 멀어지는
이 모순적인 상황 속

처음의 날 바라보던 눈망울
영원토록 사랑하자던 속삭임
서로 평생을 함께 하자던 기약

이제는 내겐 어느 하나 중요하지 않습니다.

–

단지, 그대의 존재가
지금의 내 안에
잠시 살아간다는 사실 하나만으로

이미 난 충분한걸요.

그러니 그대는 그 모습 그대로
줄곧 어여삐 남아주세요.

지난날의 사랑은 내가 모두 가져갈 테니까요.

우린 어떤 사랑을
나눌 수 있겠나

그대와 내 사이
서로의 정의에 있어

솔직보다 가식이 어울리는 관계 속
서로에게 우린, 어떤 존재로 남겠나.

과거는 미화되어
그리움으로 가득 찬 세상 속
그대에게 난, 어떤 이로 기억되겠나.

지난날의 사랑은
미련되고 미련은 증오 되어
서로가 서로의 모순이 되어버린 세상 속

–

우린, 어떤 사랑을 나눌 수 있겠나.

그런 밤

오늘도 그저
당신 생각에 잠긴 채

오늘의 당신은
무엇을 하였을지

오늘의 당신은
또 얼마나 눈이 부실지

오늘의 당신은
또 얼마나 아름다울지

그렇게 당신 생각에 잠겨
이 깊은 밤을 보내는 나이니.

오늘도 나는
당신을 그리곤 합니다

오늘도 나는
당신을 그리곤 합니다.

그렇게 난, 오늘도
한 글자, 한 글자 진심을 담아
당신을 향한 연서를 써 내려갑니다.

"아, 나의 그대여

그대 사무치는
내 맘을 알기는 하는지

그대를 향한 나의 마음은
해가 지날수록 더욱 커져가는데

그대는 정녕
내 마음을 모르는 것인지

나 그대에게
영원한 이상을 선물해 줄
유일한 사람일 터인데

아, 나의 그대여

단 한 번이라도 좋으니
나를 한 번만 바라봐 주오”

약속하겠습니다
영원토록 그대만을
사랑하겠다고

약속하겠습니다.

이 한 몸.
평생을 살아감에 있어

세월이 검은 머리가
파뿌리가 되어감에도

가끔은 다툴지라도
때로는 어긋날지라도

당신과 함께한
그리고 당신과 함께할 이 모든 날.

지금 이 마음 변치 않은 채
영원토록, 그대만을 사랑하겠다고.

무한 우주에
순간의 빛일지라도

이 무수한 별들로 가득 찬
무한의 광활한 우주 속

몇 광년을 아득히
헤아릴 수 없는 시간을
홀로 넘고 또 넘을지라도

단 한 번만이라도
충분할 터이니

그 순간의 불빛을 쫓아

이 끝없는 공간을
홀로 헤매는 나이니.

환한 그대의 미소는

지난밤.
아지러이 내린 비에

저 편의 아파트도
주차된 저 자동차도
울창한 저 나무도 전부

온 세상이 젖었습니다.

지난밤 내린 비처럼
나 역시, 지난날
나의 마음에 내린 비에

그 화려했던 추억도
이루고 싶었던 그 이상도
화사했던 그 과거도 전부

온 마음이 젖었습니다.

그럼에도 서서히
아침은 밝아오고
동쪽에서는 해가 뜹니다.

아침의 환한 햇살은

저 편의 아파트도
주차된 저 자동차도
울창한 저 나무도 전부

하나, 둘 마르게 합니다.

그렇게 아침의 햇살 같은
환한 그대의 미소 역시

그 화려했던 추억도
이루고 싶었던 그 이상도
화사했던 그 과거도 전부

하나, 둘 현실이 되어가게 해
내 마음도 점점 마르게 합니다.

2003년 8월 16일
달성 공원 정류장 앞

2003년 8월 16일
달성 공원 정류장 앞
당신을 처음 마주한 그날.

초록빛 셔츠에
새하얀 소-가방 든
요조숙녀의 모습이

내겐 얼마나 사랑스러웠는지
그날의 당신의 모습이
생생히 기억에 남아있네.

그날의 요조숙녀가
20년이 지난 지금
내 곁의 여인에 이르기까지

아무런 가식 없는
순수한 미소 지으며

그때나 지금이나, 내게
달려오는 그런 당신을,

도대체 내가 감히 어찌
사랑하지 않을 수 있을지

당신의 그 미소 하나로.
평생을 살아가는 나인데

그런 당신을, 내가 감히
어찌 사랑하지 않을 수 있겠는지.

이 한 평생
결코 잊지 못할

당신의 미소일 터인데.

감히 하지
못했던 그 말을
당신에게만은

당신에 대한 사실을
하나씩 알아갈 때마다

차마 말로는 전부
다 담을 수 없는

형태로도, 소리로도
어느 하나 감히 표현할 수 없는
나의 이 수줍은 감정을,

매일 밤.

감히 홀로 생각하기도 수줍어
꿈에서라도 전하지 못했던 그 말을,

세상 아무에게도
세상 어느 누구에게도
감히 하지 못했던 그 말을,

이제 진정 당신에게만은
전할 수 있을지

–

감히 나조차
헤아릴 수 없는

이 이상하리 이상한
이 기묘한 나의 마음을 담아

당신을 사랑한다고.

끝나지 않는 몽상 속
원치 않는 결말이
놓이는 한이 있을지라도

당신을 향한
내 이 애처로운 눈빛을,

당신을 향한
이 떨리는 내 가슴을,

당신은 내 옆에서
알아채지 못하는 것인지
아님, 모르는 척하는 것인지

그런 어느 하나 헤아릴 수 없는
당신을 바라보는 나의 하루는

하루에도 수십 번을
당신을 따라 웃음 짓기도
울상 짓기도 한다는 사실을,

그런 사소한 당신의 눈빛
표정, 그리고 말투에 이르기까지
그 전부, 내겐 큰 의미였단 걸

그 수많은 사람 속
빛나는 당신은
분명 모르겠지만

언젠간, 이 끝나지 않는 몽상 속
원치 않는 결말이 내 앞에 놓일지라도
당신을 영원토록 사랑할 것을,

난 당신께 약속하겠습니다.

그대라는 꽃이
내겐 어떤 의미일지

오래전 회색빛의 쾌쾌한
한 줌의 햇살이라곤
찾아보기 어려운

이 흐릿한 하늘 아래
우울한 분위기가
늘 주위를 맴돌던

한 줄기 잡초도 감히 뿌리를
내리기 주저하던 땅에

어느 날 그렇게 그 어느 아무도
피어나지 못할 것이라던 그대라는 꽃은

세찬 소나기가 내리는 날이면
결코 쓰러지지 않는 채

더 굳세게 뿌리를 내리고선
땅속으로 점점 스며 들며

차디찬 칼바람이 부는 날이면
그대의 잎사귀로 온 땅을 감싼 채
내게 온기를 선물해 주었습니다.

그렇게 비 오는 날, 바람 부는 날
그리고 수많은 날들을 지나

이윽고 서서히 안개가 걷히고
환한 햇살이 스며들 무렵.

그대라는 꽃은 내 안에 피어나
내 모든 것을 한순간 전부 바꿨습니다.

_

그렇게 한순간.

나의 모든 것을 바꾸는
그런 당신은 도대체 무엇일지.

당신의 환한 빛으로
나의 밤은 환한 야밤이 되어

감히 한줄기 빛조차
찾아보기 어려웠던
지난 어두웠던 나의 마음에

그대는 내게
한 줄기 빛처럼
다가왔습니다.

처음 마주한 그대는
허리가 움푹 파인
가느다란 모양새로

지난 어두웠던 나의 온 세상에
광명을 드리우기 시작했습니다.

그대는 지난날, 꽃이라곤
감히 상상조차 할 수 없던
그 앙상했던 나뭇가지에

생기를 불어넣으며
오밤 중에도 화려한
오색 꽃을 피워냈습니다.

그렇게 그대는 죽어가는
나의 모든 것들에
생기를 불어 넣으며

그렇게 시간이
지나는 줄도 모르게

그대의 광명은
저 동편의 어둠을
서서히 밝혀 가며

나의 온 세상이
환한 기운으로
가득 찼을 무렵

어느새 나의 마음에는
환하디 환한 보름달이 떴습니다.

그렇게 지난날 어둠으로
가득 찼던 나의 마음은
당신의 달빛으로 환한 야밤이 되었습니다

\-

세상 어느 누구보다 밝은
당신이란 빛이 만들어낸
그 어둡고도, 환한 밤이요.

당신의 색으로
전부, 전부 물들 때까지

새하얗던 나의 마음에
한순간 당신의 색이 묻어나
나의 마음은 당신으로 번져갑니다.

처음엔 얼룩이라
생각이 들었던
그런 당신의 색이

시간이 지남에 따라
점점 나의 마음을
물들게 합니다.

그렇게 당신의 색이
나의 마음을 적신 지금의 난
당신의 색으로 짙어져만 갑니다.

당신의 색으로
전부 물들 때까지.

당신의 색으로
전부, 전부 물들 때까지-2

새하얀 도화지 같던
나의 마음에 한순간
당신의 색이 튀어, 번져갑니다.

처음에는 얼룩이라
생각이 들기도 했던
그런 당신의 색이

시간이 지남에 따라,
점점 나의 마음을 적셔

당신의 색이 나의 마음을
채운 지금의 난.

당신이란 물감을 가득 실어
나의 하루를 당신의 색으로
가득히 물들이고픈 그런

점점, 당신의 색으로
짙어져만 가는 나입니다.

봄날이 다 간 지금
내 안엔 당신이란 봄이

한순간.

라일락 향기인 줄 알았던
스쳐가는 당신의 내음은

어느새 나의 코 끝을 맴돌아
어느덧 봄날이 다 지나간
오늘에 이르기까지

나의 마음 한 켠에
결코 지지 않을 한 송이의
라일락을 피워냈습니다.

그렇게 봄날이 다 간 지금
내 안에는 당신이란
따스한 봄이 찾아왔습니다.

–

라일락 향기로 그윽한 당신이란 봄이.

그 끝에는 네가 서 있었다

사랑하는 이와의 결혼
웃음이 가득한 우리 집
젊은 날의 이상, 그리고 행복

허황뿐인지 모르겠는 말들이지만,

그럼에도 기다림의 끝에는
행복이 찾아온다 하던가

끝없는 절망과 기다림 속
셀 수 없는 나날들을 단념한 채

언젠간 찾아올 행복을 위해
수없이 참고, 또 견디며
셀 수 없는 나날들을 떠나보내니

그 끝에는, 끝이 보이지는 않는
시련이 날 기다리고 있었다.

"언젠가 행복해질 것이라던 그 말은,
결국 이루지 못할 허황이었던가"

수없이 단념해온 지난날 들
수없이 숨기고 흘린, 지난날의 눈물
지난날에 두고 온 나의 모든 것들

목 끝까지 차오른 서러움에
두 뺨의 눈물은 쉴 새 없이
나의 온몸을 적셔 간다.

"이제 내게 도대체 어떤 의미가 있을지
이게 나의 의미인 것인지
더 이상 살아가야 할 이유가 있을지"

그 순간, 마치
나의 모든 것을 정화하듯
볼에 따스한 온기가 느껴진다.

꽃무늬가 그려진 한 장의 손수건
내 손을 어루만지는 네 손

그리고 너.

–

그렇다, 또 다른 시련이
날 기다리고 있을지 언정

그 끝에는 네가 서 있었다.

내 모든 걸 안아줄 네가
그리고 앞으로를 함께할 네가.

어쩌면 당연하다
생각이 들 것들이

살아감에 있어
참 많은 것들이
우리를 스쳐가는 듯하다.

학교가 끝난 후 고등학교 앞
아이들의 하하 호호 웃음소리

집으로 돌아오는 전철 안
내리쬐는 따스한 주홍빛 햇살

그리고 집에 오면 정겹게 맞아주는
어머니의 모습에 이르기까지

어쩌면 익숙함에 속아
소중함을 잊어버렸을 것들이
마치 당연하듯 우리의 곁에 남아있다.

허나, 그 영원히
내 곁에 있어줄 것 같았던

집으로 돌아오는 전철의 햇살
종례 후의 친구들의 웃음소리
집으로 돌아오면 날 반겨주던 어머니마저

언젠간 한순간
예상할 틈도 없이
전부 사라지기 마련이다.

그렇게 살아감에 있어
세상에 당연한 것은 없다.

–

그러니 지금 이 순간.
날 둘러싸고 있는 모든 것들을

그 당연하다 생각될지
모르는 것들의 소중함을

결코 잊지 말자.

우린
그날의 사랑을
꾸고 또 꾸겠죠

오늘도 밤안개가
고즈넉하니
내려앉은 이 밤 아래

당신과 함께했던 그날의 밤을
난 결코 잊어버릴 수 없는 듯합니다.

살아감에 있어 그 수많은 밤 속에
당신과 내가 서로의 온기를 느낀 그날 밤
난 처음으로 사랑을 배웠습니다.

안개가 자욱이 낀 그 밤
우린, 서로를 향한 서로의 온기와

서로에 대한 서로의 의미를
느낄 수 있었습니다.

그렇게 이 수많은 밤 속,
몇 광년의 시간이 흘러갈지라도

우린, 또.

또 다시 같은 선상에서
서로 눈 맞춘 채

우린, 그날의 사랑을 꾸고 또 꾸겠죠.

경칩(驚蟄)

지난 겨울날.

곤히 잠에 들었던 개구리도
은은한 봄꽃 내에 잠에서 깨어나
연못을 노닐며 뜀박질하고

백색의 눈 덮인 설산은
형형색색의 꽃으로 물들어
오색 꽃단장을 마쳤습니다.

그렇게 나의 마음에도
서서히 봄이 찾아와
나의 마음을 설레게 합니다.

한순간의 온기.
한순간의 설렘.
그리고 한순간의 사랑.

점점 봄은 내게 가까워져
그 시끄럽던 새소리마저
우아한 세레나데로 변모시키며

나의 온 세상을
사랑의 꽃으로
가득히 채워 갑니다.

그렇게 아직 한기가
가시지 않은 초봄.

그렇게 봄은 내게 다가옵니다.

너란 꽃

어떻게 너란 꽃이
내게 올 수 있었던 것인지

어떻게 너란 꽃이
내게 미소 지어줄 수 있었던 것인지

그런 우연과 필연 사이
어느 하나 단정할 수 없는
내게 찾아온 너란 꽃이

이제는 눈물 속에
그 어여쁜 모습을
잃어가지 않도록

이제는 내가 그 우연이라
생각 들 그 모든 것을

전부, 필연으로 바꾸어 가며
내가 널 안아줄 테니

내게 찾아온 너란 꽃은

나의 그늘 아래
줄곧 어여쁜 모습 그대로
그저 그리 피어다오.

–

내겐 가장 소중한
세상 하나뿐인 너이니.

Icarus

과거와 현재가
역전되어 버린
불가사의 카르테 속

한 마리, 새 장안의 새처럼
과거란 뇌옥에 갇혀버린 난

끊임없이 밀려오는
그날의 파도와

모든 것을 뚫는 창과
결코 뚫리지 않는 방패의

결코 끝나지 않을
스스로의 자책과
자기 합리화의 싸움을

언제쯤 난, 끝을 볼 수 있을 것인지

이제는 훤히 열린
새 장의 문턱마저
밟지 못하는 지금의 난

저 뜨겁게 타오르는
사랑의 태양을 향해

비로소 날개를 펼칠 수 있을 것인지
아님, 신화 속, 이카루스가 될 것인지

–

그렇게 또다시, 난
사랑에 빠질 수 있을 것인지.

고운 당신의
얼굴에 주름 살이
하나, 둘 늘어갈지라도

당신의 그 수수한
화장기 없는 맨 얼굴에

어린아이같이 활짝
미소를 지어 보이는
순수한 당신의 모습에

난, 한눈에 반했다는걸
아마, 당신만 모르는 듯합니다.

깊은 밤, 자다가 일어나
부스스한 당신의 모습부터
아침의 부은 당신의 모습까지

당신의 모든 모습은
내겐, 하나하나 소중한
당신의 모습입니다.

몇 번의 계절이 지나가고
수십 년의 세월이 지나가

당신의 고운 얼굴엔
주름 살이 하나, 둘 늘어가고

젊은 날의 고왔던 피부는
이제는 생기가 사라진
기미 가득한 피부가 되었을지라도

그때나, 지금이나
당신의 모든 모습은
내겐 전부 사랑입니다.

_

당신의 모든 모습 전부
내겐 한없이 사랑스러운 걸요.

감히 꽃보다
아름답다
말할 수 있는 임은

임이 걸어가는 길마다
주홍빛의 꽃잎이 떨어져

임의 그윽한 향기로
온 세상을 가득히 수놓아 가며

지난날 아둑하기
짝이 없었던 한 동정 사내의 맘을

때로는 고풍스러우면서도
때로는 야릇하기도 한
임의 내음으로 서서히 물들여 버린

그런 감히 꽃보다
더 아름답다
말할 수 있는 임은

이제는 한 사내의 밤을
고즈넉한 임의 향으로
가득히 채워가는 듯합니다.

한 편의 멜로드라마 여주인공처럼 당신은

그저 한순간에 사라져버릴
사막의 신기루인지도 모른 채

사막의 한줄기 희망 같은
당신이란 오아시스를 쫓는 난

허나, 신기루에 속아
한심한, 여자에 미친
비렁뱅이가 될 수도 있겠지만

그럼에도

당신이 내게 남긴 그 한 마디 말처럼
그 우연이라 생각될 그 모든 것들을
이제는 내가 필연으로 만들어 갈 것이니

그저 당신은 지금 이 모습, 그대로
한 편의 신기루가 되어도 좋을 터이니

언젠간, 저 바다가 보이는
커다란 웨딩홀 아래
순백의 웨딩드레스 입고선

뜨겁게 나와 입 맞추는
한 편의 멜로드라마 여주인공처럼

당신은, 내게 그리
한순간의 애틋함으로 남아주오.

너와 함께 눈뜨며
마주하는 일상은

너와 하루의 시작과 끝을 함께하며
너와 눈뜨며 마주하는 일상은
얼마나 사랑스럽고 새로우려나

너와 같은 이불 아래
매일 마주 볼 너의 얼굴은
얼마나 사랑스럽고 애틋하려나

너와 함께 두 손 잡고 걸어갈
앞으로의 우리의 앞날은
얼마나 눈부시게 빛나려나

그런 너의 곁에
존재하는 지금의 난
얼마나 황홀하고, 행복할까나.

–

이미 지금, 이 자체로 행복한 나인데.

감히 바라지도 못할
그런 너란 한 송이 꽃을
감히 바래왔다는 사실이

감히 바라지도 못할
그런 너란 꽃을

아무것도 가진 것 없던
이 초라한 내가
그런 널, 바래왔던 것이

이런 내게는 욕심이었던 건지

널 영원토록 사랑하겠다던
그 어린 날의 둘의 소꿉장난은
결코 쉽지 않은 일이었단 걸

알지 못했던 내가 바보 같았던 건지

어느 하나 완전하지 않는
그런 이런 미생의 나이지만

그럼에도 비로소 언젠간
비록 초라하고 가난한 현실은
변치는 않을지라도

그 어린 날 순수했던
너와 나의 소꿉장난처럼
아무런 근심 없이

사랑한다는 사실
그 하나로 서로가 서로를

온전히 사랑하는 날이
언젠간 찾아올 수 있기를

오늘도 내일도, 줄곧
간절히 바라고, 바라온다.

오늘 밤
나 그대 생각에
잠들지 못해요

하루의 끝을 알리는
나지막한 빗소리와
그 비 사이로 달빛이 비치는 이 밤

오늘의 그댄 어떤 하루를 보냈나요
오늘 그대의 하루는 어땠나요

난 홀로 이 밤을
보내기엔 너무 외로워요.
그대는 오늘 어떤 꿈을 꾸나요

난 당신과 함께할 그날을 그리는데
이 고요한 밤을 난 어떻게 보내야 하나요

화사한 낮의 빛나던 그대의 모습
어느 하나 잊히지가 않는데
나 그대에게 뭐라 내 맘을 전해야 하나요

이 말 할 수 없는 이 맘을
언제까지, 나 담아 두어야 하나요

당신을 사랑한다는 이 말을
몇 밤이 지나야 전할 수 있을지
오늘 밤, 나 그대 생각에 잠들지 못해요.

오늘 밤
비가 내리곤 합니다

오늘 밤, 비가 내리곤 합니다.

오랜 겨울을 마무리 짓고
앙상했던 나뭇가지에는
새 순이 돋아나고

세상 모든 것들에
봄기운이 물씬한 지금.

지금 오늘 여기에는
봄비가 내리곤 합니다.

오늘 밤, 이 비가 내리면
그대도 추억처럼 씻겨 나가

수없이 방황하던 이날들도
이제 전부 끝이 나, 나도
당신이 아닌 나로 살아갈 수 있을지

내리는 빗물에
지난날의 추억은 모두 번져
또다시 나의 온 맘을 적셔

난, 그대로 더욱 짙어질지
난 아직도 잘 모르겠습니다.

그럼에도 결국 다 잊혀지겠죠.
당신과 처음 만났던
이맘때 봄비 내리던 봄도

당신의 손의 그 따스했던 온기도
웃는 모습이 참 예뻤던 봄날의 당신도

그 전부, 모두.

–

그렇게 비가 내리는 오늘 밤
그대가 생각나곤 합니다.

한낱 이 정도에
사라질 그런 사랑이라면
시작하지도 않았을 사랑이기에

한낱, 바람에 흩어질
그런 사랑이었다면

한낱, 이 정도에 사라질
그런 사랑이었다면

애초에 시작하지도
않았을 그런 사랑이기에

당신을 처음 본 순간
무수히 떨리던 심장의 고동

지난 시절, 당신이 내게
보여주었던 그 미소

철없던 시절 당신과
나의 그 가슴 어렸던 설렘까지

그 전부, 마음 한구석에 고이 간직한 채

나는 오늘도 당신에게
쓴웃음을 비춰 보입니다.

_

언젠간 당신과 내가
진정 다시 웃을 수 있는

언젠가 분명 찾아올 그날을 고대하며.

수많은 사람 중
그대를 만나

수많은 사람 중
그대를 만나

지난날, 그대가
나의 마음에 한 채의 등대
되어 주었던 것처럼

어두운 밤이 찾아오면
그대가 어둠 속에
홀로 지쳐가지 않도록

나 그대 곁에서
영원토록 꺼지지 않는
그대만의 등대 되어

그대를 영원토록 비출 터이니
그대, 홀로 눈물 흘리지 마오.

–

나 그대를 영원토록 지킬 터이니.

우리만은, 우리가
맞다는 대답을 하겠습니다

기다린 만큼
내게서 더욱 멀어져 가는
젊은 날의 낭만은

이젠 허황된 모순되고

누군갈 사랑한 만큼의
진심 어린 마음은

한순간, 재 되어
바람에 날려 흩어지고

지난날, 상처의 이면은
세월이 지난 지금도
결코 이해되지 못한 채

남들과 다름이
사람의 틀림으로서 여겨지는

이 단조로운 세상 속
난, 너의 복잡함을 사랑할 테니

모두가 틀렸다 말하는
그 허황된 꿈을
난, 너와 함께 걸어갈 테니

우린, 또 그렇게
너는 너대로
나는 나대로

우린, 우리만의
해답을 찾아낼 테니

우린, 또 그렇게
우리만의 길을 찾을 테니

단조로움이 만연한
이 그릇된 현실 속

우린, 우리만의 꿈을
결코 포기하지 않을 테니

우린, 우리만의
길을 걸어나갈 테니

우리만은, 우리가
맞다는 대답을 하겠습니다.

–

살아감에 있어,

완벽한 해답은
결코 존재하지 않기에.

우린 끝나지 않을
우리만의 드라마를

사랑은 증오되고
상처는 약점 되는 세상 속

우린, 영원토록
시들지 않는 사랑이 됩시다.

우린, 서로가
서로에게 믿음과 희망인
단 하나의 빛이 됩시다.

우린, 영원히 끝나지 않을
우리만의 드라마를 그려나갑시다.

그대와 나, 우리만은
서로 다를 수 있음을
우린, 서로에게 다짐합시다.

–

이 미움뿐인 세상 속

그대와 나, 우리만은
드라마 속 주인공이기를.

우린 끝나지 않을 우리만의 드라마를-2

유에서 시작된 모든 것은
다시금 무로 돌아가게 되는
회자정리의 원리가 통용되는 세상 속.

우린 이 스쳐가는 세월에도
변치 않을 수 있을지

세상에서 가장 가까웠던 사이가
세상에서 가장 멀어지는 사이가 되는
이 미움으로 가득 찬 세상 속.

우리만은 과연 다를 수 있을지

누구나 겪는 흔하디흔한
이 멜로드라마 결말 속.

우린 다른 결말을 그려낼 수 있을지

–

적어도 우리만은 다르기를.

결국 그렇게
되어버린 것이구나

마지막 열차가 떠나고
기차 전조등의 불빛이
서서히 희미해지는 겨울의 밤

가슴이 뛰어온다
참, 많이 사랑했구나

괜스레 당신을 찾는 밤
널 그려 본다
당신은 참 예뻤구나

오늘이 지나면
내일은 당신의 손길이
기억나지 않으려나

이 떨리는 가슴은
이제는 진정되려나

결국 사랑하는 것이려나
그렇게 되어버린 것이구나

이제는 별수 없겠구나
때묻지 않은, 순수한
그 아름답던 당신을

난 잊지 못했구나.

시간이 흘러가는 줄도 모른 채, 우린

하얀 뭉게구름이
푸른색의 하늘을 수놓은 이날

나 그대와 하지
못한 이야기들을
하나하나 풀어내기 시작합니다.

정오, 햇살이 머리 위로
내리쬐던 때에 펼쳐진

그대와 나의 이야기가
꼬리에 꼬리를 물어

해가 저물 무렵
애틋함, 그리움
그리고 사랑이 되어

우리를 황혼의
저 편으로 이끌어 갑니다.

그렇게 그대와 나의 사랑은
푸른색의 하늘이
주홍빛으로 물들고

주홍빛의 하늘이
이윽고 어둑한 색이
되었을 무렵

이 밤, 결코 꺼지지 않을
단 하나의 사랑이 되어

우린, 날이 저물어가는 줄도 모른 채
온 세상을 그대와 나로 수놓습니다.

맑은 하늘에
바람 불어오는 날이면

맑은 하늘에
바람 불어오는 날이면

나 너와 손잡고
이 길을 걸어가고 파

바람 부는 날에
나 너와 함께 걷는다면

그 흔들리는 바람 속
한 송이의 갈대를
그대에게 선물해

나 그대에게 영원토록
변치 않을 사랑을 약속할 테니

이 시간 속 그대와 나
끝나지 않을 오직 둘만의 황홀함으로

지금 여기.
이곳에.

영원토록 존재하기를.

오늘의 넌
그리고 내일의 넌
또 어떤 사랑을 하고 있을지

하루에도 몇 번씩
그리움의 설움 속

오늘의 넌
어떤 사랑을 하고 있을지
난 혼잣말을 하곤 해

아무래도 의미 없어 보이겠지
이런 혼잣말은

나의 사랑은
무엇이도 이리 어려운지

단 한 번도 생각해 본 적 없는
네가 사무치는 그리움에

오늘도 이런 내가
한심해 보인단 건 잘 알겠어

그래 나도 이젠

이 끝나지 않는
희망과 허황의 굴레 속
그만할까 눈을 감아보지만

내일의 너와 난, 한 번쯤은
마음이 닿지 않을까 괜한 기대에
나 편히 잠들 수가 없어

–

오늘의 넌,
그리고 내일은 넌

또 어떤 사랑을 하고 있을지.

검은 머리가
파뿌리 될 그날까지

널 만나기 이전에는
어느 아무것도 의미 없었지

넌, 삶에 치여
하루, 하루 무표정이었던 날
웃음꽃으로 가득 채우고

삶이란 갈림길 속에서
항상 주저하던 날
너로 하여금 끌어당기며

그 모든 것이 수줍었던
너와 나의 처음의 시작이
서로에게 익숙함이 되기까지

이 아름다운 날들은
널 만난 날들은
평생을 함께할 너와의 날들은

너의 모든 것들은
그렇게 전부
너란 그늘 아래,

나의 모든 것들을 빛나게 해.

_

2023년 첫 시작을 함께한 인연이
평생을 함께할 인연에 이르기까지.

또다시 봄

마치 누군가를 만나지 않은 듯
그렇게 새로운 누군가를 만나

다시는 찾아오지 않을 듯하던
나만의 봄도 다시금 찾아옵니다.

처음의 두려움은
어느새 시간이 지나
익숙함이 되어가고

그 익숙함은 시간이 지나
설렘이 되었습니다.

그렇게 순간의 설렘은

지난날의 상처로
가득 찼던 나의 마음이
다시금 누군가를 쫓게 만들며

그렇게 다시는
오지 않을 듯하던
화사한 봄은 찾아와

나의 마음 한구석에는
하나, 둘 꽃이
피어나기 시작합니다.

그렇게 새로운 누군가를 만나
두 번 다신 찾아오지 않을 것
같던 봄날의 햇살은 내게 찾아와

한순간 잡초로 무성하던
지난 나의 정원을 봄으로 수놓습니다.

날, 한순간 가득 채워
넘쳐버릴 정도의 이 감정은

또 얼마나 알 수 없는
이 고독한 밤을
홀로 헤매야 할 것인지

또 얼마나의 아픔을
홀로 이겨내야 할 것인지

얼마나 많은 이를
또 홀로 떠나야 보내야 할 것인지

이런 삶은, 아마
줄곧 살아감에 있어
앞으로도 계속 이어지겠지

그렇게 생각했던
불완전한 이런 날.

한순간 가득 채워
넘쳐버릴 정도의
이 감정은 도대체 무엇인지.

그렇게 오늘
난 그대를 마주합니다

서로의 우연이 맞닿은 그날

작은 화면 속
서로의 목소리를 통해
서로를 이해한 우리가

이윽고 서로의 인연이 닿아
앞으로를 함께할
사이가 되었습니다.

그렇게 수개월이 지난 오늘
난 그대를 마주합니다.

행여 생각했던 모습과는 다를까
그 수많은 인파 속에서
행여, 당신을 스쳐가지는 않을까

그런 걱정은 하지 않겠습니다.

당신을 처음 본 순간
이미 한눈에 당신의 모든 것을
사랑하게 된 그런 나이니까요.

그렇게 오늘, 난 그대를 마주합니다.

–

184km

5.8km

530m

1m.

난 바보 같은 사람입니다

비록 당신은
나를 알지 못하겠지만

그저 난 당신을
바라보기만 해도 행복한

그런 단순하리 단순한
그런 사람입니다.

난 그저 혹여나 당신에게
피해가 되지는 않을까

멀리서나마 당신의 곁에서
있는 그대로의 당신만을

지긋이 바라보는
그런 소심한
숫기 없는 사람입니다.

난 줄곧 당신을
당신이라는 이유 하나로

오늘도, 내일도
그리고 앞으로도
혼자만의 사랑을 이어나가는

그저 당신밖에
모르는 바보입니다.

—

지금 내겐, 당신이 전부인 걸요.

나란 이유, 단 하나만으로
그대가 내 옆에 남아준다면

가끔 그대에게
감정에 짓눌려
모진 말을 내뱉기도 하는

익숙함에 속아
소중함을 잃어버렸을지도
모르는 이런 나를

가끔 그대에게
가장다운 모습이 아닌
그대 품에 안겨 울기만 하는

하염없이 작고 불완전한
약하디 약한 이런 나를

몇백 년이 지나도
아니, 몇만 년이 지나갈지라도

젊은 날의 곱디 곱던 피부가
기미뿐인 피부가 되어갈지라도

세상 모두가 날
떠나가 홀로가 될지라도

그대가 나란 이유 단 하나만으로
그대가 내 옆에 남아준다면

그것이 진정 행복이 아닐까.

–

내 곁에 그대만 있다면
그것만으로, 난 충분할 텐데.

세월이 지남에
잊힌 듯 보였던
그날의 당신의 온기는

세월이 지남에 잊힌 듯 보였던
지워진 듯한 그대 모습은

추억과 기억의 현실이
맞물리는 운명의 순간

현실의 무게 속에 짓눌려
감히 날개 피지 못했던
환상의 나래를 이으고 펼쳐내

유년 시절 당신과 집 앞
앞 뜰에서 뛰어놀던

그 소년 소녀의
장난스러운 포옹의 온기를
지금에 이르러서까지

줄곧, 이어지게 하는 듯합니다.

–

그날, 당신의 온기는
참 얼마나 따뜻했었는지.

나는 이 자리에 서
그대에게 외치겠습니다

지난 세월에나, 지금이나
변함없이, 아름다운 그대여

비록 지금의 그대에게
나의 목소리는 닿지 않겠지만

지금 난 줄곧,
나의 이 마음을
당신께 전하겠습니다.

지난 스쳐가는 흐릿한 세월 속
나의 스쳐가는 "사랑해"란 말을
그대가 기억 못할지라도

아주 잠시라도 당신의 기억 속에
나의 존재가 살아갈 수 있다면

지금의 난, 지금 이대로
당신의 뒤에 서있을지라도
전부 괜찮을 테니

나의 목소리가 닿을 그날을 향해
수백 년, 아니 수천 년이
지나가는 한이 있을지 언정

나는 이 자리에 서
줄곧 그대에게 외치겠습니다.

"나의 사랑하는 그대여

한 번쯤은 날 쳐다봐주세요
한 번쯤은 내 손을 잡아주세요
한 번쯤은 날 사랑해주세요

단 한 번만이라도, 난 충분할 테니까"

나, 그대를 기다리겠습니다

나, 그대를 기다리겠습니다.

당신이 괜찮아질 그날까지
당신이 내게 마음 열어줄 그날까지
당신이 세상을 향해 목소리를 낼 수 있을 그날까지

나는 이 자리에 서,
묵묵히 그대를 기다리겠습니다.

당신이 괜찮아지지 않는 한이 있을지라도
당신이 내게 마음을 열어주지 않을지라도
당신이 세상에 아직 겁이 많을지라도

그럼에도 몇 년이든,
몇 십 년이든 줄곧 이 자리에서

나, 그대를 기다리겠습니다.

–

언젠간, 찾아올

환한 미소 띠며
내게 달려오는 그대를요.

그대란 이유, 하나만으로

나 안아주고 싶습니다.
언제든 부서질 듯한
그대의 가녀린 몸을

나 알아주고 싶습니다.
감히 헤아릴 수 없는
그대의 마음조차

나 사랑하고 싶습니다.
그대의 모든 것을

–

그대란 이유 하나만으로.

너란 이유, 하나만으로

그저 안아주고 싶다.
언제든 부서질 듯한
너의 그 여린 몸을

그저 알아주고 싶다.
너의 감히 헤아릴 수 없는
그 칠흑 같은 마음조차

그저 사랑하고 싶다.
너란 이의 모든 것을

–

너란 이유, 하나만으로.

세월이 지나
모든 건 변해간다는
세상의 이치 속 당신만은

세월이 지나감에, 있어
모든 건, 변해간다는 것이
세상의 이치가 되는 현실 속

긴 세월에 변하지 않을
그런 사랑은 없겠다지만

그 사랑을 기다려줄
사람으로서, 당신만은
줄곧, 변치 않은 마음으로서

처음의 날 바라보던
그날의 두 눈의 그윽함도

처음의 날 안아주던
그날의 따스한 온기도

처음의 떨리던 손을
잡아주었던 그날의 입맞춤도

줄곧, 변치 않은 마음으로서
그 자리, 그 모습으로
영원토록 내 곁에 남아주기를

조금이나마, 소망합니다.

언젠간 봄이 오면
꽃은 다시 필 테니까요

지난, 당신과 함께한
그 모든 순간이
나에겐 기적이었듯

지난봄의 당신의 내음을
추억하며, 당신을 보내는
지금 이 순간 역시.

내겐, 또 다른 기적임이 분명합니다.

한 겨울, 북-소련에서 불어온
시베리아의 한기를 모두 지나

저 중화의 양쯔-강에서
따스한 봄바람이 불어올 때

꽃은 다시 피어나고
그렇게 봄은 찾아왔듯

나 역시.

언젠간, 다시 마주할
봄날의 샛노란 민들레 꽃잎을
이 샛방 아래, 홀로 그리며

지난날의
이미 져버린 지 오래인
그 민들레 꽃잎은

이제는 바람에 실어 보내렵니다.

–

언젠간, 봄이 오면
꽃은 또다시 필 테니까요.

흘러가는 시간에도
너는 영원토록 나의 전부이니

너는 영원토록 나의 전부이니

미움과 모순으로
가득 찬 세상 속

이름 모를 누군가의
그릇된 말소리에

너를 미워하는 날이
오지 않기를 바래야지

너는 영원토록 나의 전부이니
난, 영원히. 너의 손을 잡은 채

너를 처음 만난 순간에
꾸었던 허황돼 보이던 꿈이
현실이 될 수 있게

난 너만을 사랑하길
간절히 바래야지

이윽고 나는 살아, 네게
네가 원하던 세상이 되어줘야지

—

이 흘러가는 시간에도
너는, 영원토록 나의 전부이니.

사랑의 정의

사랑의 정의에 있어,

외사랑인지, 풋사랑인지
그 정의가 무엇이도 중요하리

지금 이 순간

단지, 이 멈추지 않는
심장의 고동이 분명하다면

이미, 그걸로 충분하거늘.

이 깊은 밤에, 우린

이 깊은 밤에 우린
서로의 생각에 곤히 잠겨

이 칠흑 같은 어둠을
한 점의 도화지 삼아

저 꽃별과 샛별을 노닐다
서로의 눈이 마주친 그 순간.

우리의 발자취로 하여금
끝없는 은하수를 그리며

이 깊은 밤에 우린.
이 깊은 밤을.

우리라는 별로 장식해갈 터이니.

사랑이란 게 원래

사랑이란 수식으로
포장된 우리의 인연은

세월이 흘러가듯
천천히 잊어져 가는 것이

세상의 이치라 행해지는 것이
당연할지도 모를지 언정.

나 그대를
처음 만난 순간부터

그리고 그대와 나의
마음이 맞닿은 순간

시간의 흐름에 따라
서로의 존재가
점차 잊힐 그 순간까지

그 모든 순간에
당신이 나와 함께
살아갈 수 있다면

당신이란 이유, 그 하나만으로
난 전부 괜찮을 테니까요.

–

"그대 어쩌면 허울 가득한
우리의 만남과 이별 속

언젠가 우리의 인연이
마침표를 찍는 날이
우릴 찾아올지라도

난, 영원토록, 그대가
내 안에 살아갈 것을

나는 알고 있기에
지금 난, 괜찮습니다.

그러니, 그대 눈물 흘리지 말아주오"

꿈보다, 더 꿈같은

줄곧, 모든 것이
한낱 꿈이라며

한순간 사라져버릴 것이라
목놓아 외치던 네게.

나는 진정, 꿈보다 더 꿈같은
그런 미래를 선사해 줄 터이니.

지난봄
당신이 내게
주었던 것처럼

지난 겨울, 내렸던 눈들이
하나, 둘씩 녹아내리고

앙상한 가지에도
하나, 둘 초록빛의 생명이
돋아 나는 듯합니다.

그렇게 또다시
당신을 처음 만났던
따뜻한 봄날의 계절이
내게 찾아옵니다.

그렇게 당신이 내게 남기고 간
그 봄날의 따스했던 온기만이
쓸쓸히 내 곁을 지키는 봄날

나는 모든 걸, 이해해,
용서해, 이윽고 사랑해.

당신이 바라던 세상을
당신에게 선물하겠습니다.

_

지난봄, 당신이 내게 주었던 것처럼.

수많은 색이 모여
결국 흑색이 될지라도

깊이를 알 수 없는
한 폭의 그림 같은 네게.

단 한순간이라도
나의 빛깔이,
네게 머무를 수 있다면

나는, 본연의 색을 잃고
전부 잃어 저 아둑한 검은빛에
가까워질지 언정

오직 그 한순간
나의 빛깔이, 네게
머무를 수 있다면

난 네게, 내 모든 것을 선물할 터이니.

가장 아름답게
빛나는 8월의 신부여

내게 영원토록 빛날
8월의 눈부신 신부여

그대를 처음 마주한 순간
바람에 흩날리는 그대 머릿결
그 모습이 얼마나 아름다웠던지

이 밤이 다 가도록
그 순간의 기억은 가슴 설레
밤잠을 다 설치게 하네.

아름다운 여름의 풍경 속
가장 아름답게 빛나는 8월의 신부여

그댄, 내겐

나의 전부이자, 나의 애증이자
나의 자랑이자, 나의 인연이자

내 삶 한평생.
결코 잊지 못할 사랑이니

그댄, 내겐

지난 까맣던 모순 속
피어난 순백의
단 한 송이 희망이기에

지금 날, 사랑해 줄 이는
오직 그대뿐 이기에

그대 내겐 단 하나의
변치 않을 사랑이 되어주오.

_

그댄, 내겐
가장 이루고픈

단 하나의 꿈이니.

우린, 우리라는
하나의 작품이 되어

너와 나.

서로 모양새는 다를지 언정
서로가 서로를 향한 마음은
분명 서로 다르지 않음이 틀림없기에

너와 나.

우리란 단 하나의 작품을 위해
서로 우리란 같은 이상을 바라보며

이윽고 우린
서로의 조각을 모두 모아
하나, 둘 서로의 조각을 맞춰

언젠간, 서로의 개성, 어긋남
그리고 그 사랑의 모든 것을
비로소 이해해, 존경해 이윽고 사랑해

우린, 누구보다 아름다운,
우린, 우리라는 작품이 될 수 있기를.

그대 너무
외로워하지
말아 주오

이 한 평생 당신과 나
살아감에 있어

그대 잠시 내 곁을 떠나
새하얀 한 줌의 재 되어

저 산 아래 새 터를 잡아
홀로 살아갈지라도
그대, 홀로 너무 울진 말아 주오.

그대 외로운 날엔
벌과 새들, 뫼 꽃에 모여
그대와 조잘거리고

그대, 머릿결 무성해진 날엔
나 그대, 꽃단장 시켜줄 터이니

이 한 평생, 그대
홀로 외롭지 않게
나 그대를 지킬 터이니

그대, 너무 외로워하지 말아 주오.

–

곧 나, 그대 곁으로 갈 터이니.

이번 봄이 지나면
전부 져버릴 복사꽃일지라도
그대만은 내게 남아주세요

그대여, 이번 여름이 지나면
그대와 난, 끝일지라도

그대는 언젠간 저물어버릴
이 추억 위에 영원토록 남아주세요.

그대는 이번 봄이 지나면
전부 져버릴 저 복사꽃처럼
전부 시들어 버린대도

그 내음만은 내게 남겨주세요.

–

영원토록 그대의 향기가
내 안에 남아있을 수 있게끔

그리고

그 향기를 추억 삼아
내가 다시금 새로운 사랑을
다시 시작할 수 있게끔

그대, 그 내음만은 내게 남겨주세요.

\-

그댄 영원토록 나의 희망이자, 나의 빛이니.

불나방

다시 한번

환상의 일루미네이션이
내 두 눈을 매료시킬지라도

나는 다시, 다시금.
저 불빛을 향해 날아

열기에 타 죽어버리는
저 불나방이 될지 언정

나는 또다시, 네게 날아가리.

이 밤, 오직 끝나지 않는 우리 둘만의 공연을

나와 당신의
숨결이 모여
이룬 이 밤 아래

서로의 온기가 뜨겁게
달군 이 밤, 이 침대 위

원초적인 욕망으로서, 우린.
서로의 몸을 끊임없이 갈구하며

이 밤, 오직 끝나지 않는
우리 둘만을 위한 공연의
첫 막을 열었다.

–

그렇게 우린 날이
밝아오는지도 모른 채

그 언제 식을지 가늠조차 안되는
열렬히 타오르는 사랑을 노래하며

서로를 향해, 우린
더욱이 뜨겁게
불타오르기 시작했다.

세상 어디
사랑받지 못할
사람 있더냐

또 누군가의 모난 말에
마음엔 가시 돋아나고

가시는 상처되어
마음은 점점 곪아가고
이제는 사람이 무서워진 지금

당신이 할 수 있는
당신이 당신을 지키기 위한
당신 스스로가 생각한 유일한 방법은

스스로가 스스로를
독방에 가둔 채

아무도, 아무 감정도 없는
이 텅 빈 방 아래

벽 속 거울에 비치는
내면의 당신과 결코 끝나지 않는
혼자만의 싸움을 하며

또다시 되돌아오는 공명의 소리에
"왜 그랬을까"란 끝없는 자책을
하는 것일지도 모르겠습니다.

그렇게 지난날의 봄날처럼
화사하던 당신의 모습은

이제는 한 줌의 재가 되어
바람에 전부 흩날려 가는 듯합니다.

그 점점 굳어가는
검붉은 색의 당신의 마음은

당신을 내게서
영영 돌아오지 못할 곳으로
멀리 떠나보낼 듯합니다.

그렇게 세상을 떠나려 하는 당신에게
나는 건네고 싶은 말이 하나 있습니다.

"이 말이 당신의 마음을
돌려놓을지는 모르겠지만"

–

"세상 어디
사랑하지 받지
못할 사람 있겠습니까.

이미 당신이란 이유 하나만으로
사랑받기 충분할 터인데"

그렇게 오늘도 난
그대의 향을 쫓습니다

금요일 해 질 무렵
그대가 내 곁을
스쳐 지나갑니다.

순간, 라-벤더의
아로마 향이 내 코 끝을
가득 자극합니다.

나는 무엇에 홀린 듯
그 향기로운 허-브향을 쫓아
어딘가를 향해 발걸음을 옮깁니다.

그렇게 도착한 그곳엔,
그대의 외투 한 벌이 걸려 있습니다.

난, 조심스레 외투에 코를 대어봅니다.

아, 이 짙은 내음은
월요일의 진한 코-튼 꽃 내음.

그렇게 그대의 향은 코 끝을 지나
이제는 나의 뇌리까지 다 닿은 듯합니다.

이제 나는 보다 대범하게
그대의 외투 속 얼굴을 파묻어 봅니다.

화요일의 맑은 호수의 워터-리 향.
수요일의 부드러운 파우-더리 향.

그리고 목요일의 레-몬처럼
상큼한 시-트러스 향까지.

그렇게 온 머리가
그대의 향으로
가득 채워졌습니다.

그렇게 점점 난 그대에게
잠식되어 가는 듯합니다.

–

그렇게 오늘도 난.
그대의 향을 쫒습니다.

끝나지 않는
청춘의 시작과 끝을

갈잖은 것같이
보일지 모르는

그 사소한 집념들이
모두 한 데 모여
지금의 나를 이루고

지금의 나를 살아가게
하는 것이 분명하거늘

이 언젠간, 감당할 수 없는
커다란 아집이 날 집어삼켜

이 모든 게 전부
연 거품이 되어버리는
한이 있더라도

그 순간의 청춘의 땀
그 성공과 좌절 사이 눈물은

이 모두 한 데 모여
결코 사라지지 않은 채

그 젊은 날의 열기는
영원토록, 나의 마음속에 타오를 테니.

『끝나지 않는 청춘의 시작과 끝을』 책을 마무리하며

전하지 못한 진심을, 네게

요즘, 가끔 혼자 생각에 잠길 때가 많은 듯하다.

이제 막, 10대의 끝자락을 마무리하고, 새로운 20대의 시작을 맞이하며, 하나, 둘 스쳐가는 친구들의 SNS를 보고 있으면 참 많은 생각이 들곤 한다.

어떤 친구는 신년을 맞아, 여럿이서 모여 술을 먹기도 하고, 어떤 친구는 사랑하는 연인과 함께 여행을 떠나기도 하고, 또 어떤 친구는 졸업 여행이라며 고등학교 생활을 함께했던 친구들과 삼삼오오 모여 졸업여행을 떠나기도 한다. 그렇게 스쳐가는 주변 이들의 소식을 듣고 있으면, 괜히 20대 첫 시작의 청춘 같아 풋풋하기도, 한편으로는 괜스레 마음 한구석이 아려오기도 한다.

작년 한 해 정말 많이 아프기도, 정말 간절히 누군가에게 사랑받길 원하기도, 많이 무너지기도 했던 난. 모든 게 지난 결말만이 남은 이 시점. 남들과 달리, 고등학교 추억이라 부를만한 기억도 없으며, 남들처럼 일반적인 고교 생활을 보내지도 않았다. 또한 핑계처럼 들릴지는 모르겠지만, 그래서 그런지 지금 내게 친구라 쉽사리 부를 수 있는 어느 하나 없는 듯하다.

2021년부터 2022년 그 일을 겪고, 2023년 현재에 이르기까지. 혼자여도 괜찮다며, 잘할 수 있다며, 그렇게 하루하루를 살아가고 있는 나이지만, 가끔은 어린 마음에 누군가와 술을 마셔보고 싶기도, 마음이 맞는 누군가와 만나, 다시 사랑을 나눠보고 싶기도 하다.

그렇게 다시금, 누군가를 만나고 싶은 마음에 과거의 향수를 살려, 옛 인연들에게 연락을 돌려도, 너무 오랜 시간이 지난 탓일까. 추억이 밥 먹여주지는 않는다는 말처럼 과거 기억 속의 친구들은, 지금 나의 생각과는 다르게 사뭇 다른 모습을 하고 있고, 항상 반갑게 맞이해줄 것 같던 친구들마저 하나, 둘 나를 떠나가기 시작한다.

그렇게 이상과 달리, 지금 난 홀로 골방에 갇혀 적막하게 글을 써 내려가며, 누군가를 만나지도 않으며, 누군가와 대화도 하지 않으며, 그렇게 혼자만의 세상을 그려나가고 있다. 그럼에도 불구하고, 수많은 이별과 아픔을 겪으며, 수없이 성장하고 깨달은 지금에선, 더 이상 외로워하거나, 힘들어하지 않으려 한다.

이제는 알기에. 비록 얼굴 한 번 마주한 적 없는 이들이랄지도, 지금, 내 곁에는 수많은 이들이 함께 하고 있다는 것을. 지금의 내가 내가 이 세상을 살아갈 수 있게 하는, 나의 과거와 현재 그리고 미래를 만들어준 참 고마운 사람들이 있다는 것을.

2021년부터 2022년 그 일을 겪고, 2023년 현재에 이르기까지. 참 홀로 많이 아프기도, 참 많이 외로워하기도 했던 그런 나날들이었지만, 그럼에도 그때 그 시절이 있었기에, 지금의 내가 존재할 수 있었다고 지금의 나는 생각한다. 그렇게 남들과는 다른 행색으로서, 다른 선상을 향해 스무 살의 첫 시작을 그려나가고 있는 나이지만, 비로소 언젠간 나만의 가장 어여쁜 꽃을 피울 것을 믿어 의심치 않으며, 지금까지 내 곁을 지켜준, 그리고 나를 사랑해 준 모든 이들에게 감사의 말씀을 올리며, 글을 마무리 짓는다.

–

항상 과분한 사랑 진심으로 감사합니다.

『전하지 못한 진심을, 네게 (상)』 책을 마무리하며 발췌

송현하 씨에게

이번 책 "끝나지 않는 청춘의 시작과 끝을 (1)"을 준비하면서 최종 원고를 읽어주시는 독자분들을 비롯해, 정말 많은 분들의 노력이 있었지만, 그중에서도 책에 수록된 모든 글을, 전작 "전하지 못한 진심을, 네게 (상)"편의 모든 글과 수차례 비교하며 읽어주며, 셀 수 없이 많은 몇 차에 걸린 피드백과 보완을 담당해 준 한 명의 동기이자, 한 명의 친구이자, 한 명의 작가로서의 송현하 씨의 도움이 없었다면 "전하지 못한 진심을, 네게"의 후속작 "끝나지 않는 청춘의 시작과 끝을"은 아마 세상에 나오지 못했을 것입니다.

원글 및 수정본 검토, 교정, 교열, 그리고 책 방향성 설정에 이르기까지. 이 책이 세상에 나올 수 있게 약 한 달에 가까운 시간 동안 책의 전 부분을 검토해 주며, 정말 많은 시간을 책 제작에 있어 투자해 주신 송현하 씨에게 진심으로 감사의 말씀 올리며, 앞으로의 스무 살의 송현하 씨의 행보를 항상 응원하는 글로서 책 마무리 짓도록 하겠습니다.

10대를 마무리하는 네게

살아감에 있어, 찾아오지 않을 듯하던 순간도 결국 찾아오기 마련이고, 결코 끝나지 않을 것 같던 순간도 결국은 끝이 나기 마련인 듯싶습니다. 그렇게 어쩌다 보니 자신에겐 찾아오지 않을 것 같던 10대의 마지막이 비로소 찾아오게 되었고, 이제는 스무 살, 이십 대의 첫 시작을 맞이하게 되었습니다.

그럼에도 십 대의 끝자락, 십 대의 끝, 마지막이란 말에 주목하여, 이게 정녕 끝이라고 생각하기보다는, 끝이 있으면 분명 새로운 시작이 존재하듯, 지난 당신이 달려온 날들에 수많은 끝맺음과 시작이 존재했던 것처럼, 이번에도 역시 앞으로의 이십 대, 그리고 삼십 대, 나아가 그 이상을 위한 새로운 시작이 다가오는 것이라, 생각합시다.

지난 어린 날의 소녀가 어엿한 스무 살의 숙녀에 이르기까지, 쉴 틈 없이 달려온 당신, 정말 수고 많았습니다.

앞으로 다가올 현하 씨의 이십 대 청춘을 진심으로 응원하며 글 마무리 짓겠습니다.

2024.02.28. 작가 김지훈 올림.

『끝나지 않는 청춘의 시작과 끝을 (1)』 (총 작업기간 2024.01.14. ~ 2024.02.28.)

끝나지 않는 청춘의 시작과 끝을 (1)

발 행 | 2024년 03월 18일
저 자 | 김지훈 (@ji._.hoonii)
펴낸이 | 한건희
펴낸곳 | 주식회사 부크크
출판사등록 | 2014.07.15.(제2014-16호)
주 소 | 서울특별시 금천구 가산디지털1로 119 SK트윈타워 A동 305호
전 화 | 1670-8316
이메일 | info@bookk.co.kr
ISBN | 979-11-410-7678-8
www.bookk.co.kr